玛雅帕帕亚的小烦恼

这是我最后一次跟你说

[西]安吉勒斯·贡萨雷斯·辛迪/著
[西]劳拉·卡兰博格/绘
姚贝/译

玛雅帕帕亚不喜欢把东西放回原位。每天到该收拾的时候，她就懒洋洋的，因为她不知道该怎么做，她不会整理。妈妈就不一样，总是做得又好又快，房间一下子会变得整洁起来。

“玛雅帕帕亚，我就跟你说一次，以后就不再说了，请把东西放回原位！”

玛雅帕帕亚不仅不听话，甚至开始号啕大哭，大声喊叫。

“不，不，不，不。你去收拾吧，我不要收拾，不要整理。我不喜欢，不喜欢……”

“玛雅帕帕亚，这是我最后一次跟你说……”妈妈态度非常坚定。

她没有开玩笑，说完这句话，就离开了房间。

第二天早上醒来，玛雅帕帕亚的房间跟昨天晚上一样混乱。放学回来，房间跟早上离开的时候也没什么两样。玛雅帕帕亚没有收拾房间，妈妈也没有。

晚上，玛雅帕帕亚在一堆东西中睡着了。地上堆满了各种玩意儿：化妆用的脂粉、故事书、铅笔、布娃娃、建筑模型、毛绒兔子，以及橡皮泥和过家家用的盆盆罐罐。

桌子上、纸箱里、书架上也都是。

第二天，她醒来时，布娃娃们从一堆鞋子和脏衣服中探出一张张惊恐的脸望着她。

但是妈妈没有指责她。

玛雅帕帕亚说：“我不想喝牛奶。”

妈妈只是回答“好吧”，然后就收起了杯子。

玛雅帕帕亚说：“我不想穿那件衣服，我想穿短裤。”

妈妈就关上衣柜回答说：“随你的便。”

从今天开始，玛雅帕帕亚每次都穿着自己选择的衣服离开家，就像她曾经一直梦想的那样。

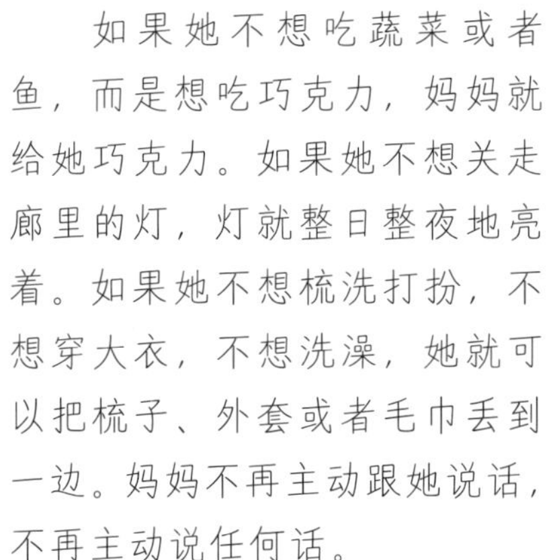

如果她不想吃蔬菜或者鱼，而是想吃巧克力，妈妈就给她巧克力。如果她不想关走廊里的灯，灯就整日整夜地亮着。如果她不想梳洗打扮，不想穿大衣，不想洗澡，她就可以把梳子、外套或者毛巾丢到一边。妈妈不再主动跟她说话，不再主动说任何话。

“这真是太好了，我太喜欢这样了！”玛雅帕帕亚想。

一天，玛雅帕帕亚决定不去上学了。

“好吧，你想怎样就怎样吧！”妈妈回答。

妈妈关掉闹钟，让玛雅帕帕亚继续躺在床上。玛雅帕帕亚玩儿了整整一个早上，把柜子里的衣服试了个遍，不管是冬天的还是夏天的。没有人跟她说“小心，别感冒了”，也没人跟她说“小心，别弄脏了”。玛雅帕帕亚的愿望实现了：只做自己想做的事情。

但是……有些事儿不太对劲儿。

不洗澡，不梳头，也不去上学，不吃蔬菜和鱼，玛雅帕帕亚开始感到有点儿奇怪。怎么了？是脚上痒痒吗？不是。是耳朵里嗡嗡作响吗？不，也不是。是肚子疼吗？更不是。

玛雅帕帕亚感觉，妈妈的唠叨消失了……玛雅帕帕亚找不到合适的词来形容……消失了……妈妈完全消失了！

薯片
Coke

不论玛雅帕帕亚做得好还是不好，妈妈都不再冲她嚷嚷“这是我最后一次跟你说”了，因为妈妈把注意力更多地放到了看报纸、读书、看电视上，或者和爸爸聊天上。

玛雅帕帕亚，就像以前希望妈妈不要唠叨不要命令她一样，现在，她希望那个以前的妈妈回来。

妈妈在厨房吃早饭。玛雅帕帕亚在床上留意着她的动静。喝完咖啡，妈妈就要起身去工作了。她不会过来问玛雅帕帕亚是不是要去学校，玛雅帕帕亚又将在自己杂乱无章的房间里待上一整天。

玛雅帕帕亚听着桌子上的表嘀嗒嘀嗒地响着。

很快就八点半了。

玛雅帕帕亚从床上跳起来。她想穿上鞋，可是，它们在哪里？埋在一堆玩具火车铁轨下面了？或者在小厨房后面？上衣呢？校服呢？书包呢？要找到这些东西，会花掉宝贵的时间。于是，玛雅帕帕亚光着脚跑到走廊上。

“妈妈……亲爱的妈妈……”玛雅帕帕亚喊着，可是没人回答。

妈妈已经走了。这让玛雅帕帕亚充满了悲伤。是的，很奇怪的感觉——悲伤！

玛雅帕帕亚尽可能爬到床上，因为那里已经几乎没有什么空地儿了。房间可真乱哪！布娃娃们，都披散着头发。棋盘游戏，棋子早找不到了。小汽车，没有了轮子。掷骰子游戏，没有了骰子。多米诺骨牌也没能幸免于难。那些盆盆罐罐呢？不可能再玩儿过家家游戏了。

两点一刻，传来开门锁的声音。

玛雅帕帕亚最后照了一下镜子。

是的，她干得不错。头发，光洁。发辫，直溜儿。衣服，干净。袜子，是一对儿。对襟线衣，扣子扣得很整齐。

“你好。”玛雅帕帕亚说。

“你好。”妈妈回答。

“今天工作怎么样？”

“非常好，工作很忙。你呢？看起来很漂亮。”

“妈妈，我想给你看一样东西。”

玛雅帕帕亚抓起妈妈的手。好温暖哪！妈妈的手总是很温暖。

玛雅帕帕亚把妈妈带到了自己的房间。

这就是玛雅帕帕亚给妈妈看的房间。